Kika
Superbruja

ⓑ Bruño

Dirige la Colección:
Trini Marull

Editora:
Cristina González

Producción:
Mar Morales

Ilustraciones:
Birgit Rieger

Traducción:
Rosa Pilar Blanco

Diseño de cubierta:
Miguel Ángel Parreño

Título original: *Hexe Lilli und das wilde Indianerabenteuer*
© Arena Verlag GmbH, Würzburg, 1997
© Grupo Editorial Bruño, S. L., 1998
Maestro Alonso, 21
28028 Madrid

AKS64000030
ISBN: 84-216-3422-4
Depósito legal: M-18.676–2004
Impresión: HUERTAS, Industrias Gráficas, S. A.
Printed in Spain

y los indios

B Bruño

10 edición

Al final de este libro
encontrarás algunos trucos
indios del gran jefe
Caballo Orgulloso.
Pero no seas impaciente y…
¡espera a llegar
a la página 113!

Ésta es Kika, la superbruja protagonista de nuestra historia. Tiene más o menos tu edad y parece una niña corriente y moliente. Bueno, en realidad lo es…, aunque no del todo. Y es que Kika posee algo muy poco común: ¡un libro de magia!

Una mañana, Kika encontró ese libro junto a su cama. ¿Que cómo llegó a parar allí? Ni idea.

Kika sólo sabe dos cosas: que la atolondrada bruja Elviruja se lo dejó olvidado en un descuido, y que el libro contiene auténticos encantamientos y loquísimos trucos de bruja. Kika ya ha probado algunos. Pero ¡cuidado…!

10

Será mejor que no intentes imitar los conjuros de Kika, porque…

Si al leer una palabra te equivocas,
tu cepillo de dientes se convertirá en escoba;
tu profesora, en una monstrua abominable,
y el helado que te estás comiendo,
en un pepinillo en vinagre.

Por si acaso, Kika Superbruja no le ha hablado a nadie de su fantástico libro. Es, como si dijéramos, una bruja auténtica, pero secreta. Ha ocultado la existencia del libro de magia incluso a Dani, su hermano pequeño, y esto no le ha resultado nada fácil, pues Dani es muy, pero que muy curioso, y a veces hasta puede resultar algo plasta. Pero, a pesar de todo, Kika le adora.

Bueno… y a continuación, ¡sumérgete en el placer de la superlectura con las aventuras de Kika Superbruja!

Capítulo 1

13

Kika está sentada en el suelo de su habitación leyendo un libro con las piernas cruzadas al estilo indio. La historia debe de ser muy emocionante, porque Kika tiene la cara colorada como un tomate y de vez en cuando da un respingo.

¡BANG! ¿Qué ha sido eso? ¿Quién ha disparado?

Kika levanta la cabeza y se encuentra con Dani, su hermano pequeño, justo delante de ella. ¡Otra vez ha vuelto a entrar en su habitación sin llamar a la puerta siquiera! Está ahí plantado, soplando el cañón de su pistola de juguete como si fuera un vaquero del Oeste después de vencer en un duelo. A Kika no le hace ninguna gracia.

—¿Cómo se te ocurre darme un susto así?

Dani se encoge de hombros y enfunda su pistola en el bolso viejo de mamá que le sirve de pistolera.

—¿Estás leyendo otra novela del Oeste? —pregunta él al fin.

—¡No! —responde Kika a la vez que cierra de golpe el libro.

Ha mentido, pero por nada del mundo está dispuesta a que su hermano pequeño se entere de lo que está leyendo, o volverá a tener problemas. Igual que la última vez que le leyó a Dani una novela del Oeste y papá acabó por quitársela.

Era una historia de vaqueros estupenda.

—Demasiado fuerte para Dani —dijo papá, y se guardó el libro.

Pero Dani no se rinde tan fácilmente.

17

—Y si no es una novela del Oeste, ¿de qué trata entonces? —pregunta.

—Es un libro de matemáticas —dice ella.

—¿Para *cowboys?*

—¿Por qué lo dices? —pregunta Kika muy asombrada.

—Porque tiene un vaquero en la tapa.

¡Hay que ver! Kika ha vuelto a equivocarse con su hermano: ¡es más listo de lo que parece!

Kika coge una profunda bocanada de aire y cruza los brazos delante del pecho, igual que el gran jefe Toro Cantor de la historia que está leyendo:

—Debo admitir que la inteligencia del pequeño niño blanco es mayor que su estatura. ¡Hau, he hablado!

—¿Y eso qué quiere decir? —sigue dando la tabarra Dani.

—Pues quiere decir lo siguiente: que antes de que el hermano Sol haya desaparecido para encontrarse con la hermana Luna, el hermano Dani desaparecerá de la habitación de la hermana Kika si no quiere que ella lo saque por la fuerza.

Dani mira a Kika con los ojos abiertos como platos y, antes de que pueda decir una sola palabra,
ella le empuja fuera
de su cuarto y concluye:

—¡Hau, he hablado!

Pero Dani vuelve a entrar en la habitación inmediatamente. Los empujones de su hermana no parecen haberle molestado en absoluto.

—¿Todos los vaqueros hablan de esa forma tan rara? —pregunta.

—No —le explica Kika—. Los que hablan así son los jefes indios. Y si es verdad lo que dice mi libro, el gran jefe Toro Cantor cantaba hasta sus discursos.

—¿Y eso lo pone en tu libro de matemáticas?

—Más o menos...

—Entonces las matemáticas que tú estudias deben de ser divertidísimas —comenta Dani—. Me muero de ganas por llegar a tu curso: ¡En matemáticas lo estudiaré todo sobre los jefes indios!

Kika no puede evitar una sonrisa. La verdad es que Dani no tiene ni idea de lo que son las matemáticas de verdad, pero, como a todos los niños pequeños, le apetece mucho estudiar cosas de mayores.

—Además, yo ya sé hacer cuentas muy bien —afirma Dani—: Uno y uno, dos. Dos y uno, tres.

—¡Muy bien! Seguro que ya casi te sabes las cuatro reglas —dice Kika con tono de aprobación, pero después da un golpecito en su libro y añade—: Aunque los indios del Salvaje Oeste estudian sus cuatro reglas de manera algo diferente, concretamente así: *cuatro indios* de cacería, más *una manada de búfalos* en un buen territorio de caza, más *un vaquero* que anda por ahí armando escándalo sin motivo y espanta la manada de búfalos fastidiándoles por completo la caza a los indios, da como resultado *un enfado monumental* menos *una cabellera*.

Dani silba entre dientes con cara de admiración a pesar de que no ha entendido ni jota.

Su hermana añade:

—En el Salvaje Oeste las fracciones son importantísimas. ¡Atiende!: *trece hombres* en el *saloon* más *un pianista* que toca fatal es igual a *un piano roto, un espejo de bar roto, un mínimo de seis narices rotas, varias patas de silla rotas, un cantinero* al que de la rabia casi se le *rompe* el corazón y *un pianista* en fuga que se *rompe* la crisma pensando dónde encontrar un nuevo trabajo.

Dani no entiende una sola palabra. ¡Posiblemente hasta la profesora de Kika tendría dificultades con esa extraña forma de hacer cuentas!

En cualquier caso, Kika se ha animado tanto con sus disparates sobre el Oeste que, de pronto, siente unos enormes deseos de viajar de nuevo hasta allí. ¡Para ella no supone problema alguno! Y es que de su última aventura en el Salvaje Oeste

Kika se trajo una cartera de cuero. Si la estrecha contra su pecho y pronuncia el conjuro adecuado, la cartera la llevará derechita al almacén del *saloon* de Enchilada Decarne.

—Enchilada Decarne... —murmura Kika, y de repente ve justo ante ella a la valerosa dueña del *saloon* de Bourbontown..., aunque sólo en su imaginación, claro.

Junto a Enchilada se encuentran el fortachón de Bobby Músculos y todos los demás personajes que conoció en su primera visita: Tumbi, el enterrador que, por cierto…, ¿seguirá teniendo tanto trabajo? Y a Viejo Carnero Esquilado…, ¿le seguirá provocando picores su áspera camiseta cuando hay peligro? Tampoco puede olvidar a la temible banda de los Tornado: ¡ojalá sigan estando entre rejas! Porque sus tres miembros juraron entonces tomarse una sangrienta venganza…

A Kika le encantaría dar ahora mismo el «Salto de la bruja» para viajar al Salvaje Oeste. Pero no puede. Ni Dani ni ninguna otra persona debe saber nada de sus artes mágicas. Kika es una superbruja secreta y desea seguir siéndolo. Además, antes de emprender su viaje debe hacer algunos preparativos. Por ejemplo, necesita otra vez balas mágicas. Y precisamente por eso Dani tiene que desaparecer de su cuarto.

—Dani, te agradecería mucho que me dejaras sola. Tengo que prepararme.

24

—¿Prepararte para qué? —quiere saber su hermano.

Ella se limita a negar con la cabeza en silencio y Dani termina por emprender la retirada.

Kika espera unos segundos hasta sentirse completamente segura de que nadie va a molestarla. Entonces saca su libro secreto de magia del escondite de debajo de la cama y coge un papel para anotar los conjuros.

En primer lugar necesita la fórmula para fabricar balas mágicas. Tras hojear el libro, la encuentra bajo el título «Balas de cazador mágico». Kika ya sabe que esas balas dan siempre en el blanco, sea cual sea y esté a la distancia que esté.

Para fabricar esos objetos necesita balas normales para transformarlas con ayuda de la magia. Y como éstas se encuentran en cualquier parte del Salvaje Oeste, Kika se limita a apuntar el hechizo.

Pero de repente se da cuenta de algo. ¡Oh, no! ¿Cómo ha podido olvidarlo? El libro dice con absoluta claridad que sólo se pueden fabricar tres balas mágicas al año, y aún no ha transcurrido un año desde su última visita al Salvaje Oeste. ¡Porras! Esas balas son importantísimas para ella. ¡Porras, porras y más porras! Aunque, ¿y si…?

De repente se le ha ocurrido una idea. A lo mejor encuentra un conjuro para fabricar flechas mágicas. Porque en este «Salto de la bruja» a Kika le gustaría conocer a indios de verdad, y piensa hacerse con una auténtica flecha india en un auténtico poblado indio.

Kika hojea rápidamente el libro, pero, por más que busca, es inútil. En ningún sitio pone nada de flechas mágicas. Así que no va a quedarle más remedio que convertir las flechas normales en flechas mágicas utilizando el conjuro de las balas mágicas. ¡Ojalá funcione!

Entonces vuelve a enfrascarse en el libro para buscar hechizos aprovechables en su aventura india.

Mientras pasa las hojas, Kika recuerda lo que ha leído sobre los chamanes en sus novelas del Oeste. Los chamanes son los hechiceros y curanderos de los indios; a menudo se les llama también «hombres-medicina». En el caso de que Kika se encuentre con un auténtico chamán en su viaje, a lo mejor logra impresionarle con un par de buenos trucos.

—Vaya, aquí hay uno —murmura.

De pronto se detiene. ¿No ha sonado un ruido en el pasillo? Deben de ser sus padres, que vuelven del trabajo. Kika desliza a toda prisa el libro de magia debajo de la cama. Pero, en lugar de entrar en su habitación, sus padres se dirigen directamente a la cocina, así que Kika puede dedicarse a elegir la ropa que va a llevarse para este viaje sin ser molestada.

Como todavía conserva del último carnaval una cinta para ceñir la frente, Kika le coloca la pluma de águila que recogió en el zoo. Y con la vieja funda del paraguas de mamá se fabrica un carcaj. Ahora sólo queda sacar del armario su disfraz de Pocahontas y... ¡listo! Si sus padres asomaran ahora mismo por la puerta, supondrían que Kika se está preparando para un emocionante juego de indios. Y en cierto modo es verdad... ¿O no?

Capítulo 2

31

Todo está preparado para el viaje. Kika se ha metido debajo de la colcha con su disfraz de india puesto. Sólo le falta calzarse las deportivas.

Aguza el oído... La casa está en silencio. Sus padres y Dani parecen dormir. Kika consulta su reloj de pulsera: son las 22:19 horas. La alarma se encargará de avisarla para que regrese con puntualidad.

En el *saloon* de Enchilada Decarne guarda los objetos imprescindibles para su aventura india, como por ejemplo el pequeño ratón de peluche que necesita imperiosamente para volver a aterrizar en su cama con seguridad.

Kika se sienta en el borde de la cama. Ahora, ¡a ponerse corriendo las deportivas y colgarse el carcaj! A continuación estrecha la auténtica cartera de cuero del Salvaje Oeste contra su corazón. Así lo exige el conjuro del «Salto de la bruja». Kika se lo sabe de memoria. La conducirá a la época y al lugar de los que procede el objeto que estrecha contra su pecho.

Al lanzar una última mirada a su habitación, Kika nota de nuevo esa sensación inquietante en su interior. Antes de cada «Salto de la bruja» le da pánico no poder regresar. Siente un molesto cosquilleo que le recorre la espalda, pero enseguida recobra el valor. Cierra los ojos y empieza a recitar el conjuro en voz baja.

El suelo desaparece bajo sus pies, su cuerpo se vuelve muy ligero y la invade un agradable calorcillo. Al mismo tiempo, los párpados le pesan como si fueran de plomo.

Instantes después, Kika vuelve a sentir tierra firme bajo sus zapatillas. Y antes de poder abrir los ojos de nuevo, el olor a cuero, a whisky, a leña recién partida, a establo y a humo de tabaco le indica que ha aterrizado en el lugar correcto. Es el almacén del *saloon* de Enchilada Decarne. Justo el mismo lugar al que llegó en su primer viaje al Salvaje Oeste, y desde el que emprendió la mágica vuelta a casa sin que la viera nadie.

Kika mira a su alrededor. Ve un montón de botellas de whisky, pero están vacías. ¿Vacías? Si a Enchilada Decarne se le ha terminado el whisky, es que algo va mal. ¡Eso seguro!

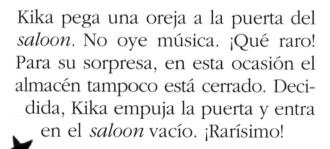

Kika pega una oreja a la puerta del *saloon*. No oye música. ¡Qué raro! Para su sorpresa, en esta ocasión el almacén tampoco está cerrado. Decidida, Kika empuja la puerta y entra en el *saloon* vacío. ¡Rarísimo!

Mientras intenta adivinar lo que está pasando, Kika es víctima de una malvada jugarreta. Primero le atizan por la espalda un fuerte golpe en la cabeza, y a continuación todo se vuelve borroso. ¡Alguien ha estrellado algo contra su cráneo y le ha colocado una especie de saco por encima! Kika no puede ver más allá de sus propias zapatillas. Acto seguido la atan como si fuera un paquete postal.

—¡Ya eres mía, maldita piel roja! —resuena una voz a su espalda.

Al principio Kika se siente demasiado mareada para entender lo que ha sucedido. Pero luego logra echar un vistazo a las botas con cordones de la persona que la ha atacado... y entonces comprende. Sólo hay alguien capaz de llevar esos botines de charol con tacón de aguja, y de manejarlos como si fueran un arma...

—¡Enchilada! —grita Kika—. ¡Enchilada Decarne! Soy yo, Kika. ¡Kika *la Pistolera!*

Kika nota en el acto cómo se afloja la presión de sus ligaduras.

—¿Kika *la Pistolera?* —pregunta asombrada Enchilada Decarne—. ¡Por la leche que maman los terneros! ¡Esto es imposible!

Enchilada libera rápidamente a Kika del saco que le ha colocado en la cabeza y entonces caen una en brazos de la otra.

—¡Perdóname, por favor! —se disculpa Enchilada Decarne—. Todo ha sido demasiado rápido. Yo sólo he visto una piel roja en mi almacén y… Bueno…, la verdad es que con esas ropas de india y con esa pluma en la cabeza, no hay quien te reconozca.

—Pero ¿qué tienes tú en contra de los indios? —pregunta Kika.

—Si piensas pasearte con esas pintas por las calles de Bourbontown, será mejor que te andes con ojo. Hay gente que no se limitaría a echarte un saco por la cabeza, sino que te atizaría con una banqueta o con una herradura. Y la verdad es que nadie se lo reprocharía…

—¿Qué quieres decir? —pregunta Kika mientras trata de enderezar su pluma de águila.

—Pues que por aquí estamos que trinamos con los pieles rojas después de lo que nos

39

han hecho. ¡Ni siquiera Tumbi estaría dispuesto a enterrar a un indio! Y eso a pesar de que, por dinero, sería capaz de meter viva en un ataúd hasta a su propia madre...

—¿Pero qué mal os han hecho los indios? —quiere saber Kika.

—Primero vamos al almacén —dice Enchilada Decarne—. Con el aspecto que tienes ahora, no es bueno que nos vean aquí juntas a través de la ventana.

Enchilada cierra la puerta tras ella y ambas quedan a salvo de miradas indiscretas.

—Observa a tu alrededor, Kika. ¿Puedes ver una sola botella de whisky llena? Los indios roban todos los envíos. ¡Nos están matando de sed! —furiosa, Enchilada Decarne aparta de una patada un par de cajas de madera vacías—. Pero eso no es todo. Empezaron con el whisky, y lo siguiente fue el tabaco. Ni puros, ni cigarrillos, ni tabaco de mascar. ¡En tres días cabalgando a la redonda no encontrarás nada fumable! Han quemado hasta las plantaciones de tabaco de la viuda de Farlboro.

—Pero ¿estáis seguros de que los indios…?

—¡Por supuesto! No puedes imaginarte la cantidad de testigos que los han visto. Además, han actuado con muchísima torpeza. Junto a la estafeta de Correos se encontraron numerosas flechas rotas y adornos indios. Al parecer, los perdieron allí.

Kika menea la cabeza. Sencillamente no da crédito a lo que está oyendo.

—¡Como imaginarás, no podíamos tolerarlo! —Enchilada clava con furia el afilado tacón de su bota derecha en el suelo de tierra apisonada—. Partí con tres de nuestros hombres más valerosos para pedir explicaciones a los pieles rojas. Naturalmente, lo negaron todo, y no hallamos ni rastro de whisky. Entonces, de la rabia, una noche Bobby Músculos pintó de verde sus caballos, de los que se sienten tan orgullosos. Me hubiera encantado ver la cara de su jefe por la mañana al encontrarse con todas sus monturas verdes. Parece ser que él también se puso verde de rabia. No les quedó otro remedio que esperar las próximas lluvias, porque no podían lavar sus caballos... ¡Y es que no disponían de agua porque nosotros desviamos el curso del río construyendo un dique!

—¿Que les quitasteis el agua? —exclama Kika enfadada—. ¡Eso ya no me parece ninguna broma!

—Tampoco teníamos ganas de bromear…
—se defiende Enchilada—. En caso de necesidad, una puede renunciar al whisky y al tabaco. También a la munición y a armas nuevas. Al fin y al cabo, ésta es una ciudad pacífica. Pero los pieles rojas acabaron amargando la vida a los niños. Capturaron todos los envíos de chicles y caramelos, siguieron con los cereales del desayuno, los refrescos y los chupetes… Y cuando al final robaron hasta los pañales, la situación empezó a resultarnos verdaderamente apestosa en el amplio sentido de la palabra… Así que les devolvimos peste por peste.

—¿Qué quieres decir con eso?

—Bueno, ya sabes: no hay nada más apestoso que el pescado podrido. Una noche de niebla nos deslizamos hasta su campamento para buscar dónde escondían el whisky. Por desgracia, fracasamos. Y por eso nos olvidamos a propósito unos cuantos pescados podridos dentro de una de sus tiendas —Enchilada Decarne ríe a carcajadas—. ¡Por poco los tumbamos a todos con aquella peste!

—¿Y después?

—En agradecimiento, los pieles rojas llenaron el pozo de la ciudad con excrementos de búfalo. ¡Qué asco! Durante semanas enteras, el café nos supo a caca de vaca. Así que nosotros, como venganza, desviamos el curso del agua. Fue bastante fácil. Sólo hubo que cambiar la trayectoria del río que riega el valle mediante un dique. ¡Como todo ha sido por su culpa, que se beban el whisky que nos han robado!

—¿Y qué ocurrirá ahora? —pregunta Kika, horrorizada.

—Me encantaría saberlo. Como es natural, hace mucho que los indios han vuelto a disponer de agua. Sólo tuvieron que destruir el dique que nosotros levantamos. Sin embargo, estoy preocupada…, sobre

todo por Bobby Músculos y por Viejo Carnero Esquilado.

—¿Qué pasa con ellos? —quiere saber
Kika.

Enchilada Decarne se sienta
en una de las cajas de
whisky vacías antes
de responder:

—Han desaparecido. Pretendían negociar con el jefe Caballo Orgulloso, pero tendrían que haber regresado ya hace mucho. Al despedirse, Viejo Carnero Esquilado me dijo al oído que su camiseta le estaba provocando unos picores terribles. Y ya sabes lo que eso significa…

—¡Claro! —confirma Kika—. Cuando le pica la camiseta es que algo va mal…

—¡Justo! Dijo que le picaba más que si llevara un hormiguero dentro de ella.

Kika suelta un silbido entre dientes.

Mientras, Enchilada Decarne se levanta para mirar por el ventanuco del almacén y sigue hablando:

—Pensamos que sería mejor mantener en secreto las negociaciones con los indios, así que la gente de Bourbontown aún ignora su desaparición. Si ahora se enteran de que esos dos seguramente están asándose a fuego lento en el poste de los sacrificios, habrá guerra, aunque tengan que pelear con las horquillas de recoger el estiércol, porque en Bourbontown apenas queda munición. De todos modos, el ambiente está muy caldeado... Tumbi es el único que se mantiene de buen humor. Ha encargado una provisión de cincuenta ataúdes, ¡y todo parece indicar que tendrá que utilizarlos muy pronto!

Kika se ha quedado sin habla. No podía imaginarse que su visita a los indios resultara así. Pero ¿qué puede hacer? ¿Olvidarse de todo y regresar a su casa por arte de magia? ¡No!

Decidida, respira hondo y propone:

—¿Qué te parece si nosotras dos intentamos arreglar este asunto? Quiero decir que podríamos…

Kika se calla bruscamente. En ese preciso momento la diligencia sube armando un gran estrépito por la polvorienta calle central de la ciudad. El cochero lanza un disparo al aire con su *Winchester*, y en el acto empiezan a salir por todas partes los habitantes de Bourbontown.

—Será mejor que te quedes aquí, Kika —le dice Enchilada mientras desaparece en dirección al exterior.

Kika acerca una caja bajo el ventanuco del almacén para poder mirar hacia fuera.

El conductor de la diligencia acaba de trepar al techo del vehículo y desde allí dispara unas cuantas veces al aire con su rifle a la vez que grita:

—¡Han asaltado la diligencia! ¡Lo han robado todo!

—¿Qué cargamento llevabas? —quiere saber uno de los habitantes de la ciudad.

—Whisky. Cinco cajas del mejor whisky de Kentucky. ¡Se ve que los pieles rojas saben apreciar lo bueno!

—¡Otra vez esos malditos indios! —grita enfurecido el herrero—. ¿Cuánto tiempo más vamos a tolerar esta situación? ¿Tenemos que esperar acaso a que desvalijen nuestras casas?

—¿Estás seguro de que han sido los indios? —pregunta Enchilada Decarne.

—Si no eran indios, me comeré veinte sacos de alfalfa —replica el conductor—. Lo han robado todo: el whisky, un enorme

cargamento de armas, una docena de mortajas antiarrugas para Tumbi y hasta la nueva silla de montar para el reverendo.

Una anciana interviene agitando su bastón:

—Si no estuviera segura de que la banda de los Tornado está entre rejas, diría que esto es obra de esos tres forajidos. ¿Quién si no iba a robar una docena de mortajas? Y encima de las modernas, de esas que no se arrugan. ¡Todo el mundo sabe que esos tejidos antiarrugas provocan picores en la piel!

—¡Eso a los muertos les trae al fresco...! —comenta Tumbi con una sonrisita sarcástica—. Además, son mis clientes los que solicitan esas mortajas.

—¿Qué clientes: los vivos o los muertos...? —grita otro de los presentes, provocando estruendosas carcajadas entre los demás.

—Nos estamos apartando de la cuestión... —dice Enchilada, y acercándose a la diligencia, arranca una flecha profundamente hundida en la madera—. Si no estuviera viendo esta flecha con mis propios ojos, pensaría lo mismo que la Abuela.

—¡Yo he visto lo que he visto! —asegura el cochero—. ¿O es que dudáis de mí? Las judías verdes son judías verdes, un oso pardo es un oso pardo y un piel roja es un piel roja.

—¡Pieles rojas por aquí, pieles rojas por allá...! ¡Pieles moradas a golpes deberíamos dejarles! —grita el herrero.

La mayoría está de acuerdo con él y se desata un tremendo griterío.

—¡Los indios jamás robarían una silla de montar! —estalla por fin Kika.

Enchilada Decarne se da la vuelta, sobre-
saltada, y Kika se muerde la lengua, porque la verdad es que esas palabras se le
han escapado sin querer. Por suerte, el ba-
rullo es tan grande en la calle que nadie la
ha escuchado, aparte de Enchilada.

La dueña del *saloon* sube de un salto al
pescante de la diligencia y, tras arrebatarle
su *Winchester* al cochero, dispara al aire.

—¡Tranquilizaos! —exclama—. Comprendo vuestra furia. Está claro que yo también preferiría despachar whisky en lugar de leche en mi *saloon*. Pero, a pesar de todo, no debemos actuar a tontas y a locas.

—¿Es que alguien está actuando aquí? —replica el herrero—. Nadie hace nada desde hace meses. ¡Son los pieles rojas los que se dedican a tomarnos el pelo!

Enchilada intenta calmar a la gente:

—Todavía sigue en vigor el tratado de paz que firmó con ellos el general Plasten. Sólo Tumbi, nuestro enterrador, ganaría algo con una guerra.

—¡También el carpintero que fabrica los ataúdes! —replica Tumbi muy ofendido.

Algunos ríen. Pero entonces alguien grita:

—¡Dejémonos de tanta palabrería! ¡Que venga la caballería y declarémosles la guerra a los indios de una vez por todas!

—Antes debemos ir a Texas para hacernos con un par de diligencias llenas de armas y municiones. Casi todos estamos ya sin una sola bala que llevarnos a los pocos revólveres que nos quedan... —opina otro ciudadano.

—No querréis que los pieles rojas desentierren el hacha de guerra, ¿verdad? —exclama Enchilada—. El general Plasten y su caballería están muy lejos. Además, ¿creéis que los soldados van a jugarse la vida sólo porque no tengamos whisky ni pañales? Sería mejor que discutiéramos el asunto con los indios fumándonos tranquilamente la pipa de la paz.

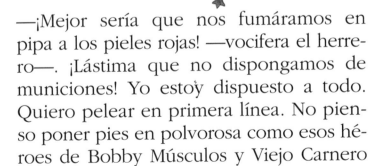

—¡Mejor sería que nos fumáramos en pipa a los pieles rojas! —vocifera el herrero—. ¡Lástima que no dispongamos de municiones! Yo estoy dispuesto a todo. Quiero pelear en primera línea. No pienso poner pies en polvorosa como esos héroes de Bobby Músculos y Viejo Carnero

Esquilado, que llevan semanas sin dejarse ver por aquí...

—Ésos se han ido sólo porque se ha acabado el whisky —dice la Abuela—. Si tuviera setenta años menos, ¡me sumaría al herrero!

Kika percibe de lejos cómo Enchilada Decarne empieza a perder la paciencia. Pero la dueña del *saloon* al fin se controla y, en lugar de revelar la valerosa acción secreta que han emprendido Viejo Carnero Esquilado y Bobby Músculos, dice:

—De acuerdo, de acuerdo... Prestadme atención por última vez. Pero atended de verdad y tened cuidado de no caeros de espaldas..., ¡porque tengo que comunicaros algo sorprendente!

En la calle se restablece la calma. Kika piensa que Enchilada va a hablarles de la misión secreta, pero no... Enchilada Decarne tiene otros planes.

—Creo que la situación está a punto de cambiar —anuncia—. Se encuentra entre nosotros alguien que ya nos ayudó una vez a salir de un buen atolladero.

De los nervios, el corazón de Kika se acelera. Ha comprendido en el acto a quién se está refiriendo Enchilada.

Ésta, colocando las manos a modo de bocina, grita en dirección al *saloon:*

—¡Venga, sal de una vez! ¡Te necesitamos!

La gente estira el cuello para ver quién sale por la doble puerta oscilante del *saloon.*

Durante unos breves momentos, Kika piensa si debe quitarse al menos la pluma de águila de la banda que ciñe su frente. Pero entonces lo piensa mejor y, decidida, abre la puerta de una patada.

Kika aparece entonces en la calle con la cabeza muy alta, como si fuera la valerosa hija de un jefe indio.

En el exterior reina un silencio sepulcral. La gente se niega a creer que una niña india se atreva a presentarse en su ciudad a plena luz del día. Pero Kika camina segura de sí misma hacia la diligencia.

La multitud le abre paso rápidamente, y Kika trepa al pescante junto a Enchilada Decarne.

Sólo entonces descubren los habitantes de Bourbontown quién es el personaje misterioso que acompaña a Enchilada: ¡Kika, aquella niña que tenía tan buena puntería! ¡Kika, la que se encargó de vencer a la banda de los Tornado! ¡Kika *la Pistolera,* que desapareció sin dejar rastro de una forma tan repentina que cualquiera podría pensar que fue cosa de brujería!

El júbilo de la gente es inmenso, y a nadie parece importarle un pimiento el traje indio de Kika. Tampoco replican a Enchilada cuando dice:

—Volved a vuestro trabajo. Kika *la Pistolera* y yo tenemos muchas cosas que discutir…

Cuando Enchilada Decarne y Kika desaparecen tras la puerta del *saloon,* los ciudadanos de Bourbontown abandonan el lugar sin rechistar.

La verdad es que no hay demasiado que discutir. Las dos saben de sobra lo que hay que hacer.

Poco después, la silla de Enchilada Decarne lleva bien sujetas dos mantas, cacharros de cocina y provisiones. Enchilada le entrega la flecha india a Kika, que la guarda en su carcaj. Después se echa las alforjas al hombro y monta en su caballo. Sentada en la parte delantera de la silla, para dejar sitio a Kika, agarra con fuerza las riendas de la montura.

A continuación, Kika y Enchilada salen cabalgando de la ciudad, en dirección al sol poniente.

Cada una de ellas va sumida en sus propios pensamientos. Enchilada está preocupada por lo que dirá el gran jefe Caballo Orgulloso cuando se encuentren con él, y Kika se pregunta qué hará sin sus balas mágicas si la situación se vuelve difícil de verdad.

Capítulo 3

Con el sol como una bola roja brillando justo delante de ellas en el horizonte, Enchilada y Kika cabalgan hacia el oeste. Los cascos del caballo resuenan al golpear el reseco suelo de la amplia llanura. Sólo de cuando en cuando aparece un árbol que proyecta una larga sombra y anima así algo una extensión que parece infinita.

De pronto, una cadena montañosa se perfila en el horizonte.

—Será mejor que acampemos —propone Enchilada.

Entonces tira de las riendas del caballo, que pasa del galope a un trote ligero para al fin detenerse.

—Si queremos hacer fuego para preparar algo de comer sin que nos vean, no podemos seguir avanzando —añade Enchilada, pues sabe que tras las montañas se encuentra el poblado indio.

Kika reúne enseguida un montón de leña seca para encender una fogata, y poco después unas judías rojas con chile se fríen en una sartén. Las dos saborean la comida y, al terminar, Kika se recuesta

satisfecha sobre las alforjas con la barriga llena. Así es como siempre ha imaginado la vida en el Salvaje Oeste.

Pero, por desgracia, les queda muy poco tiempo para fantasías.

—Iré sola —decide Enchilada.

Kika comprende en el acto lo que planea su amiga.

—De acuerdo, Enchilada. Mientras negocias con los indios, yo me quedaré escondida y sólo pasaré a la acción en caso de necesidad, para ir a buscar ayuda o…

—… para hacer hablar a tu *Colt.* Al fin y al cabo, no te llaman en vano Kika *la Pistolera* —la interrumpe Enchilada riendo—. Por supuesto, debemos evitar un derramamiento de sangre innecesario —concluye.

—¡Claro! —responde Kika cogiendo la pistola de juguete de Dani.

Durante unos instantes piensa si no sería mejor decirle a Enchilada Decarne que en esa pistola no hay más que cartuchos de mentira.

Pero Enchilada no le deja tiempo para explicaciones.

—Tenemos que llegar allí antes de que anochezca… —dice mientras apaga el fuego pisándolo con sus botas de tacón de aguja—. Si llego sola y a plena luz del día, seguro que no me atacarán.

—¿No sería mejor averiguar primero qué les ha ocurrido a Bobby Músculos y a Viejo Carnero Esquilado? —pregunta Kika.

—¡Está claro que tú y yo nos entendemos sin necesidad de hablar! —responde Enchilada con tono de aprobación—. Justo ése era mi plan. Se nota que no eres una novata.

Enchilada Decarne ya ha subido a su caballo y espera a que Kika monte detrás.

Pero Kika sigue en tierra.

—¿El poblado indio está detrás de aquellas montañas? —pregunta.

Enchilada asiente con la cabeza.

—¿Y pretendes llegar allí sin que nos descubran?

—¡Claro!

—Entonces no podemos ir a caballo.

Enchilada se echa a reír y replica:

—¡Mujer!, hasta el poblado queda todavía un buen trecho. A esta distancia no nos verá nadie.

—Es demasiado peligroso —opina Kika—: No nos verán, pero sí nos oirán —y con un gesto invita a Enchilada a desmontar.

Pero su amiga no está de acuerdo:

—¡A pie nos costaría una eternidad llegar, y apenas nos queda tiempo!

—¿Necesitas tu mantón? —pregunta Kika.

—¿Es que tienes frío? —pregunta Enchilada a su vez mientras le entrega a Kika el gran mantón de flecos que se había echado sobre los hombros.

Kika coge el mantón y lo rasga en cuatro trozos.

—Pero ¿qué haces…? —protesta Enchilada.

Al cabo de un momento comprende lo que su amiga se propone hacer con esos pedazos de tela.

Kika dobla los retales para formar cuatro bolsas que rellena con hierbajos. A continuación las ata alrededor de los cascos del caballo y… ¡ante ellas aparece un caballo con zapatillas!

Enchilada suelta un silbido de admiración y exclama:

—¡Eso es lo que yo llamo astucia! A pocas personas se les hubiera ocurrido un truco indio tan sagaz como ése para cabalgar sin hacer ruido…

Kika se limita a encogerse de hombros. No puede contarle a Enchilada Decarne que ese truco procede de una de las novelas del Oeste que ha leído.

Las dos emprenden el camino silenciosamente. Ya se han puesto de acuerdo en el plan de acción: se aproximarán todo lo posible al poblado indio y, después de dejar la montura a cierta distancia, Enchilada avanzará sin ocultarse hacia el poblado, atrayendo sobre ella la atención de los indios para que Kika pueda investigar sin ser vista si Bobby Músculos y Viejo Carnero Esquilado han caído en manos de los pieles rojas.

De pronto, Kika y Enchilada notan en el aire un olor a hierba quemada.

—Esto no parece nada bueno… —murmura Enchilada picando espuelas.

Pronto divisan el poblado indio, sumido en la penumbra. Kika cuenta veintiuna tiendas de diferente tamaño.

—Yo esperaré aquí y te daré tiempo suficiente para que puedas aproximarte a las tiendas sin ser vista dando un rodeo —susurra Enchilada—. A unos cien metros encontrarás un arroyo que te llevará derechita al poblado. Sus orillas están rodeadas de cañaverales para que puedas ocultarte. En cuanto esté segura de que ya te has escondido me dirigiré al poblado desde aquí. Cuando me descubran, seguro que registrarán toda la zona en busca de enemigos, así que ¡escóndete bien! Yo intentaré hablar alto para que te enteres de todo.

—¿Y si tuviéramos una contraseña? —sugiere Kika—. Tú la dirás en el momento en que yo tenga que salir de mi escondite. Tiene que ser una palabra que sólo podamos entender nosotras, para despistar a los indios...

—¡Conforme! La palabra será *sacacorchos.*

Kika se muestra de acuerdo.

—Si ves que se disponen a atacarme —añade Enchilada—, ven a toda velocidad. Bastará con que me protejas disparando al aire.

—No te preocupes —tranquiliza Kika a su compañera, antes de darle un último consejo—: Y no vayas a pecho descubierto. Es mejor que hagas como si estuvieras avanzando a escondidas. Los indios son muy listos, y si te acercas tranquilamente a su poblado, podrían sospechar que intentas desviar su atención. ¡Entonces registrarían toda la zona y me echarían el guante, por mucho que me esconda!

Enchilada está de acuerdo, pero luego pregunta:

—¿Qué pasará si Bobby Músculos y Viejo Carnero Esquilado no están en el poblado?

—Eso no podemos arreglarlo de momento —responde Kika—. Será mejor que esperemos a ver qué pasa... De todas formas, debes negociar con Caballo Orgulloso. A lo mejor esos dos han continuado su camino tranquilamente, o ni siquiera han pasado por aquí, o...

—... o ahora mismo están atados al poste de los sacrificios... —concluye Enchilada, expresando lo que Kika no se atreve a decir en voz alta.

Kika se da la vuelta sin decir palabra, coge las alforjas y desaparece con el sigilo de una serpiente entre los matorrales que rodean el poblado. Enchilada la sigue con la mirada. Conoce el camino que ha tomado Kika, y puede calcular cuándo llegará al

puesto de vigilancia. Hasta ese momento, Enchilada intentará averiguar algo desde su posición. Tras atar el caballo a un árbol, se acerca unos metros más al poblado, hasta llegar a un punto desde el que puede observarlo con facilidad.

En el centro del poblado descubre tres postes de madera tallada. Enchilada comprueba, aliviada, que no hay nadie atado allí. Pero a lo mejor los verdaderos postes de los sacrificios están en otro lugar, y ésas son simples copias que el hombre-medicina necesita para hacer sus brujerías.

Como es lógico, Bobby Músculos y Viejo Carnero Esquilado también podrían estar presos dentro de una tienda. En ese caso, Enchilada debería comunicárselo rápidamente a Kika, para que ésta iniciase una inmediata acción de salvamento…

De todas formas, la vida en el poblado parece pacífica. Los niños más pequeños juegan entre las tiendas mientras un indio adulto enseña a los más jóvenes a tirar con arco. Algunas mujeres cuecen pan junto a una hoguera, y otras se dedican a decorar una de las tiendas con bellísimos dibujos de colores.

Entre tanto, Kika se desliza hacia su objetivo arrastrándose por el suelo, por lo que sus rodillas y sus codos enseguida se llenan de arañazos. ¡La hierba y los matorrales no son tan mullidos como los cojines del sofá de la abuela! Y a esto hay que añadirle el polvo, que le hace cosquillas en la nariz.

De pronto el picor es tan tremendo que Kika es incapaz de reprimir un estornudo. Acto seguido se queda inmóvil sobre la hierba y aguza el oído. ¿La habrá escuchado alguien?

Sólo se oye el canto de los grillos y el croar de una rana. ¡Qué suerte ha tenido! Ahora debe seguir avanzando a toda velocidad para alcanzar el puesto de vigilancia junto al arroyo.

¡Ya! Kika oye el rumor del agua. Por fin llega tan cerca de las primeras tiendas del poblado indio que hasta puede oler sus pieles de cuero. Aliviada, se olvida del escozor que le producen sus raspones.

Pero de repente sucede algo inesperado que arruina todos sus planes. Kika escucha un susurro a su espalda y, antes de que le dé tiempo a volverse, alguien la aprisiona contra el suelo a la vez que le tapa la boca con tanta fuerza que a duras penas consigue respirar.

«¡Porras, porras y porras!», piensa Kika. «¿Cómo podré avisar ahora a Enchilada? ¿Qué pasará si necesita mi ayuda?»

Como era de esperar, Enchilada no se ha enterado de nada. Antes de ponerse en marcha, inspira profundamente y se dice a sí misma en voz baja:

—¡Valor, Enchilada! Si la cosa se pone fea, siempre puedes llamar a Kika. Ella te sacará del aprieto.

Y, levemente agachada, comienza a deslizarse hacia el poblado.

No ha dado ni cincuenta pasos cuando la descubren. Al dar el paso cincuenta y cinco ya la han apresado, y no puede dar el cincuenta y seis porque está maniatada y mordiendo el polvo contra el suelo. Eso significa que van a conducirla sin delicadeza alguna hasta el poblado.

—¡Yo también sé andar solita! —protesta Enchilada mientras dos robustos indios la agarran cada uno por un brazo y la transportan casi en volandas.

Ninguno de los dos pieles rojas parece inmutarse ante los gritos de Enchilada. La verdad es que ni siquiera está segura de que la entiendan; al fin y al cabo, tampoco ella entiende la lengua de los indios.

—¡Quiero hablar con vuestro jefe! —repite sin cesar—. Sí, con vuestro jefe, cabecilla, mandamás... o como le llaméis.

Enchilada no sabe si han comprendido sus palabras, pero no le cabe duda de que el piel roja con el que se topa cara a cara poco después es el jefe. Caballo Orgulloso está sentado ante la tienda más lujosa del poblado, rodeado por un montón de consejeros indios tan soberbiamente vestidos como él.

—¿Qué traer a mujer blanca hasta nosotros? —pregunta Caballo Orgulloso.

Enchilada se alegra de que el jefe indio hable su idioma.

—He venido para negociar —dice—. Las cosas no pueden seguir así. Tenemos que dejar de pelearnos, porque si no habrá otra gran guerra.

El jefe tarda un buen rato en traducir las palabras de Enchilada a sus consejeros, y al fin responde:

—Vosotros acusarnos de haber robado agua de fuego que vosotros llamar whisky. Luego vosotros profanar con olor

apestoso la tienda de nuestro hombre-medicina, donde morar las almas de nuestros antepasados, y vosotros también ensuciar con pintura verde nuestros caballos, el orgullo de nuestros corazones. Por si no bastar con eso, vosotros robar agua, quemar nuestros pastos y espantar manadas de búfalos. ¿Tú llamar a eso negociar?

—No sabíamos que se trataba de la tienda del hombre-medicina. De otro modo, seguro que no lo hubiéramos hecho —se disculpa Enchilada—. Y lo de los caballos... Bueno, eso fue una broma sin mala intención; no pretendíamos ofenderos, os lo aseguro. Además, tampoco logramos arrebataros por completo el agua. Os resultó facilísimo solucionar ese inconveniente... ¡Pero jamás hemos incendiado vuestros pastos, y menos aún ahuyentado las manadas de...!

El jefe la interrumpe para comenzar a traducir sus palabras a sus consejeros.

Los otros indios no parecen muy entusiasmados con las explicaciones de la mujer blanca, porque discuten muy alterados y se dirigen al jefe haciendo grandes aspavientos. Caballo Orgulloso los hace callar con un simple movimiento de la mano y le indica a Enchilada:

—Tú poder continuar. Pero pensar bien lo que decir... Tú vigilar tu lengua, pues ellos sugerirme que yo cortártela...

Enchilada traga saliva y se pregunta si Kika podrá oír todo lo que se está hablando allí.

—Pongo mi mano en el fuego para asegurarte que ningún hombre ni ninguna mujer blancos de nuestra ciudad han destruido los pastos y espantado a los búfalos —declara con voz firme—. Es verdad que nos portamos mal con lo del agua. Pero vosotros también tenéis que entendernos… Al fin y al cabo, destruisteis nuestro pozo…

El jefe la interrumpe de nuevo. Tras unas cuantas palabras en su idioma, pone sus manos sobre los hombros del chico y la chica indios que acaban de acercarse a él y después prosigue:

—Pieles rojas jóvenes no darse cuenta de que acciones suyas poder ser malas…

Enchilada ve cómo los dos jóvenes bajan la cabeza avergonzados.

De pronto, un indio que hasta ese momento ha permanecido en silencio se pone en pie. Lleva una especie de gorro de piel adornado con la cornamenta de un búfalo, y su voz tiene un timbre amenazador.

«Sería estupendo que Kika estuviera aquí ahora», piensa Enchilada Decarne. «Seguro que las dos juntas hubiéramos tenido más posibilidades de convencer al jefe de que nuestras intenciones son pacíficas.»

Pero antes de que pueda pronunciar la contraseña convenida, el gran jefe Caballo Orgulloso toma de nuevo la palabra:

—Tú decir que poner mano en el fuego para defender la inocencia de tu pueblo...

Muy bien. Nuestro hombre-medicina proponer empezar a avivar ya la lumbre... ¡Porque nosotros haber capturado a un rostro pálido que dedicarse a espantar nuestros últimos búfalos con antorchas!

—¡Es imposible que ese hombre sea de nuestra ciudad! —exclama Enchilada, escondiendo las manos entre los pliegues de su falda, por si acaso.

—Pues él decir lo contrario... Él llevar paquete postal en su caballo, y él decir que allí aparecer su dirección. Nosotros no poder comprobarlo, porque no saber leer. Por eso tampoco entender lo que decir el papel que él esconder entre sus ropas. En él haber retrato de su cabeza...

—¡Eso es una orden de busca y captura! —le interrumpe Enchilada.

—Sólo Kaiowak, el hijo de nuestro hombre-medicina, saber leer —prosigue el jefe—. Él ir a escuela del hombre blanco en Texas.

Él poder comparar lo escrito en paquete con lo que aparece en papel... Pero Kaiowak encontrarse ahora muy lejos.

—¡Yo también puedo leéroslo! —exclama Enchilada.

—Tú mentir para ahorrarte tortura de muerte lenta en poste de sacrificios... —replica Caballo Orgulloso.

—¡Enseñadme a ese hombre! —grita Enchilada—. Yo le sacaré la verdad. Para eso no necesito *sacacorchos*...

Enchilada pronuncia en voz muy alta la palabra *sacacorchos,* lo que desconcierta al jefe indio, que la mira sin comprender. Los otros indios vuelven a dirigirse a él, y aunque no entiende sus palabras, Enchilada sabe que no auguran nada bueno.

—Vaya, debo suponer que los *sacacorchos* son desconocidos entre vosotros... —prosigue Enchilada mientras mira a su alrededor en busca de ayuda—. La profesión de descorchador es muy común. Y, por supuesto, todo descorchador cuenta con un buen *sacacorchos,* porque sin un *sacacorchos* no podría sacar un solo corcho, y…

—¡Silencio! —la interrumpe el gran jefe—. Yo no poder explicar a los demás lo que ser un *sacacorchos* porque ni yo mismo saberlo. Nuestro hombre-medicina decir que tampoco poderse entender a serpiente, pues hablar con lengua bífida… ¡Y yo creer que hombre-medicina tener razón!

A un gesto del jefe, Enchilada es amarrada al poste de los sacrificios. A continuación, varios pieles rojas encienden un fuego justo a sus pies, mientras el indio de los cuernos de búfalo empieza a danzar a su alrededor.

Entonces grita llamando a Kika, pero no le sirve de nada. Enchilada ignora que, por el momento, no puede esperar ayuda de su amiga. ¿O tal vez sí…?

Capítulo 4

Al sentirse atacada por la espalda, Kika está segura de haber sido sorprendida por algún centinela indio. ¡Menuda equivocación! En realidad, su captor ha sido Viejo Carnero Esquilado. Éste, a su vez, creía haber apresado a una india y se queda pasmado al descubrir a quién acaba de inmovilizar en el suelo.

Como es lógico, Kika y Viejo Carnero Esquilado no expresan ruidosamente su alegría al reencontrarse, porque ninguno de los dos desea ser descubierto. Además, mientras permanecen escondidos pretenden escuchar las negociaciones de Enchilada con los indios.

Pero cuando el jefe Caballo Orgulloso menciona el nombre de Kaiowak, el hijo del hombre-medicina, a Kika se le ocurre una repentina idea que quiere poner en práctica inmediatamente.

—¡Sígueme! —le dice a Viejo Carnero Esquilado en un susurro.

Los dos se alejan del poblado para poder hablar sin peligro.

¡Ay! Si hubieran esperado tan sólo dos minutos más, tal vez se habrían enterado de la triste suerte de Enchilada Decarne…

—Ya me figuro lo que te propones —dice Viejo Carnero Esquilado cuando al fin llegan a un lugar seguro—. Necesitamos a Kaiowak, el chico indio.

—¡Justo! —confirma Kika—. Él arreglaría todos nuestros problemas. Pero yo no puedo ir a buscarle. Le he prometido a Enchilada que la ayudaría si se mete en líos…

—Cabalgaré yo solo —decide Viejo Carnero Esquilado—. De todos modos pensaba dirigirme a Texas por un asunto que todavía no sabes.

—¿De qué se trata?

—¡Agárrate fuerte! ¡Los Tornado se han fugado! Bobby Músculos y yo nos hemos enterado de camino hacia aquí. Y también hemos sabido que han abierto una «Tienda Tornado» nada más cruzar la frontera mexicana. En esa tienda venden de todo: desde whisky hasta pañales para bebés…

—¡Por la caca del coyote y los aullidos del lobo, me lo figuraba! —exclama Kika, furiosa, apretando los puños.

Viejo Carnero Esquilado sigue contando:

—Bobby Músculos y yo nos separamos para buscar pruebas. Él ya está de camino hacia México. Yo cabalgué hasta el poblado indio para contarles a los pieles rojas lo de la banda de los Tornado, pero apenas llegué aquí me aguardaba una sorpresa: ¡los indios acababan de hacer un prisionero! Se trata de la persona que se dedicaba a quemar los pastos y a espantar hacia el sur los rebaños de búfalos. ¿Y quién crees que es?

—¡Uno de la banda de los Tornado!

—¡Cierto! Y en cuanto ese canalla aseguró a los pieles rojas que yo también formaba parte de su banda, las conversaciones de paz se terminaron para mí. Los indios ya no creyeron ni una sola de mis palabras, y me encerraron en una tienda junto con ese miserable. Sin embargo, ayer por la noche logré huir y me oculté entre la maleza que crece junto al arroyo. Pero antes registré el equipaje de ese sinvergüenza y encontré varias mortajas y dos flechas indias... Comprendes, ¿verdad?

Kika lo entiende todo en el acto:

—¡La banda de los Tornado dejaba por ahí las flechas para que los blancos pensasen que sus fechorías eran obra de los indios! Nosotros encontramos una flecha igual clavada en la diligencia de Bourbontown... ¡Seguro que también se disfrazaron de pieles rojas para que el engaño fuera perfecto!

—Sí; esos Tornado son muy astutos... —gruñe Viejo Carnero Esquilado.

—¡Y que lo digas! —coincide Kika—. Es un plan diabólico: los Tornado roban a los blancos y hacen sospechosos a los indios. Entonces los blancos se enfurecen con los pieles rojas. Al mismo tiempo, los Tornado hacen que los indios se enfaden con los blancos, espantando sus búfalos. Eso significa la guerra. ¡Seguro que ahora los Tornado están muertos de risa, enriqueciéndose con lo que han robado y también vengándose de los ciudadanos de Bourbontown por haberlos metido entre rejas.

De repente, Viejo Carnero Esquilado empieza a rascarse muy nervioso.

—Me pica la camiseta como si estuviera hecha de alambre de espino —resopla.

—Eso no es nada bueno… —comenta Kika—. ¡No perdamos más tiempo! Tú intenta encontrar lo antes posible al hijo del hombre-medicina y yo iré a ver cómo le va a Enchilada.

Kika le pide a Viejo Carnero Esquilado las dos flechas indias y vuelve a dirigirse a escondidas hacia el poblado. Entre tanto, Viejo Carnero Esquilado sube al caballo de Enchilada Decarne para cabalgar hasta Texas.

Kika no tarda en oír los desesperados gritos de socorro de su amiga. Pero, por mucha pena que le dé, Enchilada tendrá que resistir un momento más…

Kika coge la nota donde apuntó el conjuro del libro secreto. ¡Necesita convertir esas flechas en flechas mágicas! Entonces agarra con fuerza las flechas indias y musita el conjuro que convierte las balas normales en balas mágicas, sólo que ahora sustituye la palabra *balas* por *flechas*.

¿Funcionará la magia con las flechas igual que con las balas? De momento, no hay modo de saberlo. Kika guarda las flechas en su carcaj y se desliza hasta el poblado indio.

Allí, Enchilada sigue atada al poste de los sacrificios. A su lado, en otro poste, está Joe, uno de los miembros de la banda de los Tornado.

El hombre-medicina baila alrededor del fuego, que crepita a los pies de los dos prisioneros, y en su mano empuña una especie de cetro. En ese momento se detiene ante Enchilada y anuncia algo en su idioma. Para espanto de Kika, el hombre-medicina coge impulso como si se dispusiera a golpear a Enchilada en la cabeza con ese chisme.

¡Eso es demasiado! ¡Si Kika tuviera al menos un arco en condiciones! Sin pararse a pensar, lanza una flecha que..., para su sorpresa, atraviesa el cetro.

¡La magia ha funcionado!

Un enorme griterío surge entre la multitud. ¿Quién osa molestar al hombre-medicina? ¿Quién es el arquero que tiene tan buena puntería?

Lentamente, Kika se aproxima al resplandor del fuego.

—¡Kika! —exclama aliviada Enchilada Decarne—. ¡Sabía que no me dejarías en la estacada!

Con la rapidez del rayo, varios guerreros indios rodean a Kika, apuntándola con sus largas y afiladas lanzas. Pero ella no se deja intimidar. Con gesto imperioso estira un brazo para señalar el poste al que está atada su amiga y anuncia:

—He venido para deciros que uno de vosotros pondrá fin a los problemas entre los rostros pálidos y los pieles rojas antes de que la luna camine por segunda vez sobre ese poste.

Durante unos instantes, el hombre-medicina parece desconcertado, pero enseguida se dirige al jefe gesticulando como un loco. Caballo Orgulloso le traduce las palabras de Kika y después añade:

—Nuestro hombre-medicina dudar. Decir que tú hablar con lengua de serpiente. Además, él querer saber cuál de nosotros ser el elegido para esa misión.

—Dile que su nombre es Kaiowak..., a quien vosotros llamáis *Experto Lector.*

¡Su propio hijo! Le acompañará Viejo Carnero Esquilado, al que nosotros llamamos *El que se rasca el pellejo*.

—¿Y cómo saber tú todo eso? —pregunta el jefe.

—Son cosas que conocemos los chamanes —responde Kika con aire misterioso—, aunque no nos gusta hablar de ellas.

—Tú ser niña blanca. ¿Cómo osar llamarte chamán? —replica Caballo Orgulloso.

En lugar de contestar, Kika mira de reojo su nota y murmura unas palabras. De pronto, multitud de rayos recorren con gran estruendo el cielo sin nubes y empieza a llover. Cuando Kika estira el brazo, la tormenta cesa de repente.

Los guerreros que hasta entonces rodeaban a Kika retroceden unos pasos, asustados.

—¿Quién ser tú? —quiere saber el jefe Caballo Orgulloso.

Pero antes de que Kika pueda contestar, de pronto aparece un hombre blanco junto a ella. Al parecer lleva un rato escuchando, pues él mismo responde la pregunta del jefe:

—Ésta es Kika, a quien nosotros también llamamos Kika *la Pistolera.*

—Y éste es… —prosigue Kika, señalando al recién llegado— Bobby Músculos, al que también llamamos *El que, donde pisa, ya no vuelve a crecer la hierba de la pradera.*

El forzudo de Bobby Músculos arroja un hatillo de telas de colores cerca del fuego para que todos puedan verlo. Luego explica:

—A estas cosas que veis aquí nosotros las llamamos *disfraces* y *pelucas*. Parecen indios, ¿verdad? Se las birlé a unos tipos en México, que las usaron para tomarnos el pelo a los blancos. Antes de que esos maleantes se fugaran de la cárcel, se llamaban a sí mismos la banda de los Tornado. Ese hombre que está atado al poste es uno de ellos.

Pero al hombre-medicina no parecen interesarle gran cosa esas palabras. Sin dignarse a dirigir una sola mirada a las pelucas y los disfraces, farfulla algo entre dientes.

El jefe Caballo Orgulloso, por el contrario, examina el hatillo tirado en el suelo antes de decirle a Kika:

—Nuestro hombre-medicina dudar de tus poderes. Él decir que quien hacer ruido ser escandaloso, pero no músico, y quien hacer llover ser hacedor de lluvia, pero no chamán. Hacer llover ser sólo el nivel más bajo del arte de los chamanes.

Kika contesta:

—Dile a mi colega que tiene razón. Y dile también que uno puede aprender cualquier cosa: leer, disparar e incluso el arte de los chamanes. Y, de paso, recuérdale que nosotros, los chamanes, no deberíamos hablar de nuestros poderes.

Mientras el jefe traduce al hombre-medicina las palabras de Kika, ésta saca una manzana de su bolsa de cuero y se la pone en la cabeza a Enchilada Decarne, que continúa atada al poste de los sacrificios. Sin decir ni pío, arrebata el arco a uno de los guerreros que la rodean, saca una flecha de su carcaj y tensa la cuerda. Kika ya sabe que su encantamiento para flechas ha surtido efecto, y... con un *sshhhhhh...*, la manzana es perforada justo en el centro.

Todos los presentes cuchichean, y algunos incluso aplauden. Kika ya ha sacado del carcaj su última flecha y vuelve a apuntar a la manzana. La flecha silba en el aire y divide de arriba abajo la primera flecha.

Ahora el júbilo es indescriptible... Pero se apaga en el acto cuando el hombre-medicina saca su cuchillo y avanza hacia Kika. La mira a los ojos y, por fin, ¡pone el arma a sus pies!

¿Y qué hace entonces Kika? Tras coger el cuchillo, corta las ligaduras de Enchilada Decarne y del sinvergüenza de Joe Tornado y le devuelve el arma al hombre-medicina.

Los pieles rojas vuelven a aplaudir entre gritos, hasta que el jefe Caballo Orgulloso se encarga de restablecer la calma:

—Nosotros esperar hasta que Kaiowak llegar para celebrar gran *powwow*. Yo creer que con ello traer luz a oscuridad y todo acabar bien.

Al oír estas palabras, Kika y Enchilada Decarne se abrazan.

—Podías haber venido un poco antes… —dice Enchilada riendo.

—Viejo Carnero Esquilado te lo explicará todo —responde Kika.

Sabe que ya no dispone de tiempo para hacerlo ella misma: la alarma de su reloj de pulsera lleva recordándole ya hace casi media hora que debe emprender el viaje de regreso.

—Tengo que irme enseguida —se disculpa ante su amiga—, o será a mí a quien le esperará un *powwow* muy desagradable.

Kika sabe por sus novelas del Oeste que el *powwow* es una especie de asamblea en la que hay que explicar y justificar muchas cosas. ¡Y eso es precisamente lo que le espera a ella si no está en su cama a la hora de levantarse!

Estrechando su ratón de peluche contra el corazón, pronuncia el conjuro y aterriza directamente en su cama. Apenas se ha puesto el pijama cuando su madre llama a la puerta para despertarla.

—¡Qué olor tan raro hay aquí! Cualquiera diría que has encendido una fogata en tu habitación…

—Estoooo…, ejem… —murmura Kika mientras se estira las mangas del pijama para que mamá no vea los raspones de sus brazos—. La verdad es que ha sido una noche muy movidita…

111

Trucos indios
del gran jefe
Caballo Orgulloso

Los indios solían ponerse unos nombres de lo más originales. Por ejemplo, hubo un piel roja llamado *Luna redonda,* y otro, *Cuba para recoger el agua de lluvia.* Posiblemente el primero nació una noche de luna llena, y durante el nacimiento del segundo seguro que llovió a cántaros.

A veces, los nombres también se cambiaban según las hazañas de sus poseedores. Así, seguro que *El que acierta con la flecha* o *Búfalo Poderoso* eran excelentes cazadores.

¿Por qué no escoges para ti un nombre indio que te pegue?

Antes se hablaban en América del Norte más de trescientas lenguas diferentes, y para que los indios de las distintas tribus pudieran entenderse entre sí, inventaron un lenguaje mediante señales.

Como en aquella época no existía aún el teléfono, los indios se pusieron a cavilar y al fin lograron resolver el problema de las comunicaciones. ¡Podían enviar noticias a través de largas distancias mediante señales de humo y ayudándose con espejos!

Entre todos los miembros de tu tribu, inventaos unas cuantas señales y ensayadlas. (¡Pero, por favor, tened cuidado, no vayáis a prender fuego a la alfombra del salón! Es preferible que, con ayuda de un espejo, hagáis destellar la luz del sol durante un rato más o menos largo. ¡Es mucho más seguro!)

Por ejemplo:

- • ➡ destello breve/pequeña nube de humo
- — ➡ destello largo/gruesa nube de humo

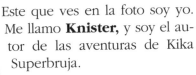

¡Hola!

Este que ves en la foto soy yo. Me llamo **Knister,** y soy el autor de las aventuras de Kika Superbruja.

Como siempre me ha gustado vuestro mundo, el de los chicos y chicas como tú, he escrito muchos libros y canciones para vosotros, y también obras de teatro.

Me encanta presentar programas de lectura en la tele, la radio, las bibliotecas, los teatros y las librerías de mi país (que, por cierto, es Alemania), y también disfruto mucho cuando realizo trabajos para chicos y chicas que son discapacitados psíquicos, o disléxicos, o ciegos..., todos ellos de tu misma edad.

Pero lo mejor de todo es cuando vosotros participáis conmigo en lo que hago, leyendo mis libros y compartiendo las aventuras de los personajes que los protagonizan.

En esta ocasión he querido presentaros a Kika Superbruja. Como es una bruja supersecreta, me costó bastante que me explicara sus trucos de magia, pero al final lo conseguí. Aunque..., no sé por qué, pero me da la impresión de que Kika Superbruja no me ha contado todos sus supersecretos... ¡y a lo mejor todavía le quedan unos cuantos hechizos guardados en la manga!

Índice

Trucos de indio

Los libros de KNISTER

en **B Bruño**

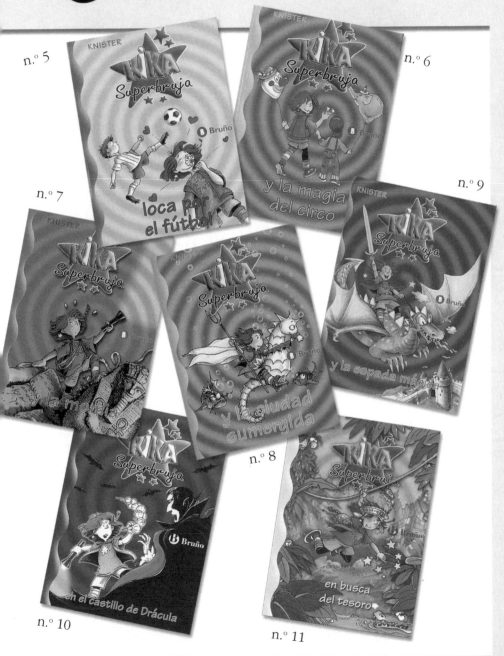

n.º 5

n.º 6

n.º 7

n.º 9

n.º 8

n.º 10

n.º 11

n.º 149

n.º 140

n.º 1

n.º 2

n.º 3

n.º 4